어? 축구공 옆에
카드가 있어요.

우주가 카드를 집어 들어요.
누가 카드를 떨어뜨렸나 봐요.

카드

글 김미혜 그림 차선희

선생님과 학부모님께

이 그림책은 초기 문해력 교육을 위한 수준 평정 그림책입니다.
아이의 읽기 행동을 관찰하고 기록한 결과를 바탕으로 아이의 눈높이에 맞는
책을 골라 주세요. 아이 스스로 책을 선택할 수 있게 해 주시면 더 좋아요.
그리고 가정과 학교에서 아이와 함께 안내된 읽기를 해 주세요.
이 책에는 한글의 열한 번째 자음 'ㅋ'이 들어간 '카드', '쿠키' 등의 낱말이 나옵니다.
'ㅋ'의 소리를 잘 듣고 'ㅋ'이 들어 있는 낱말을 더 찾아보세요. 교통카드나 체크카드를
사용해 본 경험, 물건을 잃어버렸다가 찾았거나 길에 떨어진 물건을 주워서
주인에게 돌려준 경험에 대해 이야기를 나눠 볼 수 있어요. 이야기가 끝나면
아이가 말한 문장 일부를 종이에 써 봅시다.

"혹시 그 카드 네 거야?"

"아니, 이거 네 거야?"

"우와, 찾았다."

"안녕, 난 우주야. 카드를 찾아서 정말 다행이야."

"안녕, 난 미지야.
정말 고마워."

미지가 고맙다고
쿠키를 사 주었어요.

이 책은 ＿＿＿＿＿＿＿ 의 것입니다.

카드

ⓒ 김미혜, 차선희, 2025

2025년 11월 3일 처음 펴냄

글쓴이 김미혜 | **그린이** 차선희 | **편집** 이진주 | **디자인** 더디앤씨 | **인쇄** 보명C&I | **제작** 세종PNP
펴낸이 김기언 | **펴낸곳** 교육공동체 벗 | **이사장** 오정오 | **사무국** 최승훈, 설원민, 공현
출판등록 제2011-000022호(2011년 1월 14일) | **주소** (03998) 서울시 마포구 월드컵북로7길 76-12 102호
전화 02-332-0712 | **전송** 0505-115-0712 | **홈페이지** communebut.com

ISBN 978-89-216-4 67700
ISBN 978-89-195-2(세트)

카드	BFL	3
	어절 수	41

값 2,300원

사용 연령
6세 이상

ISBN 978-89-6880-216-4
ISBN 978-89-6880-195-2 (세트)